雪女の家
おけら山
ちくちく森
おおかみ男の家
ひりひり滝
ぬるぬる池
かたかた橋
にこにこぷんぷんめそめその花畑
ぞくぞく劇場
美術館
ぞくぞく小学校

ぞくぞく村の

妖《よう》精《せい》レロレロ

末吉暁子・作　垂石眞子・絵

ぬるぬる池《いけ》の妖精《ようせい》レロレロは、水中《すいちゅう》エアロビクスの先生《せんせい》をしています。

レロレロのようにスマートになりたい生徒《せいと》がやってきて、エアロビクス教室《きょうしつ》は、ごはんじょう。

レロレロの
水中エアロビクス
教室
スマートになりたい
あなたに！
尾ビレつき
レオタード
貸します。

魔女《まじょ》のオバタン。ゴブリンのおくさん。ミイラのマミさん。もちろん、おしゃれおばけのおじいさんだって。

みんなで水中《すいちゅう》エアロビクス用《よう》のレオタードをつけて、

「ワン、ツー。ワン、ツー。はい、ちゅう返《がえ》り。」

満月《まんげつ》の夜《よる》は、レッスンはお休《やす》み。

ま夜中《よなか》、レロレロはすてきなソファに横《よこ》たわり、プルプルゼリーを口《くち》に運《はこ》びながら、うっとり空《そら》を見《み》あげます。

すると、まんまるお月《つき》さまも、プルプルゼリーみたいにゆれながら、やさしくほほえみかえしてくれるのです。

ペットのこいのトトちゃんが、ひざの上《うえ》にのってきて、口《くち》をパクパク、ゼリーをおねだり。

「はい、アーン。」

そんなひとときが、レロレロは、最高《さいこう》にしあわせ。

けれども、気《き》をつけなくちゃならないのは、お呼《よ》びでないのに、ときどき、ヘンなのが飛《と》びこんできちゃうこと。

今夜《こんや》みたいに、ギンギラギンの満月《まんげつ》の夜《よる》は、とくに気《き》をつけなくちゃいけません。
さっそくだれか、池《いけ》のほとりに近《ちか》づいてきたようですよ。

トテトテトテ、ガチャガチャガチャ。
「あの足音《あしおと》は、がいこつガチャガチャさんだわ。」
ガチャさんは、にこにこの花《はな》を一本《ぽん》、口《くち》にくわえ、ぼうっと月《つき》を見《み》あげたまま、トテトテトテ、ガチャガチャガチャ。
そのまま池《いけ》の上《うえ》の空中《くうちゅう》を歩《ある》いて、どこかへ行《い》ってしまいました。

「また、むちゅうで詩《し》でも作《つく》っているのね。池《いけ》に落《お》っこちてこなくてよかった。」

そう、ガチャさんが詩《し》を作《つく》っているときは、いつも、うわの空《そら》。

あたりの景色《けしき》は、まったく目《め》に入《はい》りません。

レロレロが、ほっとしたのもつかの間《ま》。

ドップフォーン！

だれかが飛《と》びこんできました。

やれやれ、おおかみ男《おとこ》です。

「こいつが、いちばん始末《しまつ》が悪《わる》い。」

おおかみ男《おとこ》は、犬《いぬ》かきで池《いけ》のまわりをポチャポチャポチャ。

次《つぎ》にバタフライで、バシャーン、バシャーン、バシャーン！

それから、ゴボ、ゴボ、ゴボとしずんできました。

レロレロがムカツいていたって、へいっちゃら。

「いよおっ、レロレロさん、満月《まんげつ》の夜《よる》はじつにべっぴんだねえ。」

むりやり、レロレロの手《て》をとって、ワルツをおどりだしました。

ピシャーン！　と、よこっつらをはりとばされたおおかみ男《おとこ》、こんどは、こいのトトちゃんのむなびれをとって、おどりだしました。

「んまあ！　相手《あいて》はだれでもいいんじゃないの。」

ますます頭《あたま》にきたレロレロは、おぼんで、おおかみ男《おとこ》の頭《あたま》を、グワワワーン！

池《いけ》の底《そこ》にのびてしまったおおかみ男《おとこ》を、ようやく池《いけ》の外《そと》にほうりだして、ホッ！

「やれやれ、せっかくのお休《やす》みの晩《ばん》を、台《だい》なしにされるところだったわ。」

レロレロが、ソファにすわりなおしたときでした。

ふいに、ドッドド、ドーッと風《かぜ》がふいてきて、水面《すいめん》がザワザワザワと波《なみ》だちました。

つづいてザザザザ、ザーッと、だれかが池《いけ》に着水《ちゃくすい》しました。

「あら、あれは?」

レロレロは、急《いそ》いで水《みず》の上《うえ》に出《で》てみました。

ぬるぬる池《いけ》に着水《ちゃくすい》したのは、背中《せなか》にいっぱい風船《ふうせん》をつけた女《おんな》の人《ひと》でした。

それを見《み》るなり、レロレロはさけびました。

「メロメロじゃないの！」

すると、女《おんな》の人《ひと》も、

「レロレロお姉《ねえ》ちゃん！」

とさけんで、二人《ふたり》は、しっかりだきあいました。

「メロメロ！　よく、もどってきてくれたわね。でも、いったいどうしたの？　あなたは、風船男《ふうせんおとこ》といっしょになって、流《なが》れ星《ぼし》みたいな暮《く》らしをしていたんじゃなかったの？」

「それがねえ。あいつは、いまだにつかまらないのよ。あっちのビルのてっぺんから、こっちの湖《みずうみ》のほとりにと、風《かぜ》にのって飛《と》びまわって、追《お》いつめたかと思《おも》うと、またにげられちゃうの。とうとう、地球《ちきゅう》を三周《しゅう》もしたけど、あいかわらずよ。」

「んまあ！　こんなによれよれになって。」

「地《ち》に足《あし》つかない暮《く》らしには、もうあきちゃった。水《みず》の中《なか》の暮《く》らしが恋《こい》しくなったの。あたし、決《き》ーめた。ここでお姉《ねえ》ちゃんといっしょに暮《く》らすわ。」

メロメロは、池《いけ》の底《そこ》のへやを見《み》ながら、言《い》いました。

「そうと決《き》まったら、さっそく、とりかえばのところに行《い》って、あたしのおびれをとりもどしてくるわ。背中《せなか》の風船《ふうせん》と、二本《ほん》の足《あし》を返《かえ》せば、お姉《ねえ》ちゃんの髪《かみ》の毛《け》も返《かえ》してもらえるわ。」

話《はなし》は、その昔《むかし》、レロレロとメロメロの姉妹《しまい》が、おけら山《やま》の向《む》こうのどんより沼《ぬま》で、いっしょに暮《く》らしていたころに、さかのぼります。どこかから、風《かぜ》にのって飛《と》んできた流《なが》れ者《もの》の風船男《ふうせんおとこ》に、ひとめぼれしてしまったメロメロは、どうしてもあとを追《お》っかけていきたくて、沼《ぬま》のほとりの、とりかえばばのところに行《い》きました。

ところが、おびれをあげるかわりに、二本《ほん》の足《あし》をもらったものの、風船《ふうせん》がなくては、同《おな》じように飛《と》んでいけません。

「レロレロの髪《かみ》の毛《け》をくれるなら、風船男《ふうせんおとこ》とおんなじような、風船《ふうせん》つきリュックサックを作《つく》ってやるよ。」

かねてから、レロレロのわかめのように美《うつく》しい髪《かみ》の毛《け》に、目《め》をつけていたとりかえばばは、言《い》いました。

そこでレロレロは、かわいい妹《いもうと》のために、自分《じぶん》の髪《かみ》の毛《け》をあげてしまったのです。

おかげでメロメロは、のぞみどおり風船《ふうせん》つきのリュックをしょって、風船男《ふうせんおとこ》のあとを追《お》って飛《と》んでいきました。でも、レロレロは、それいらい、ハゲ。いつもは、かつらをかぶっているのです。

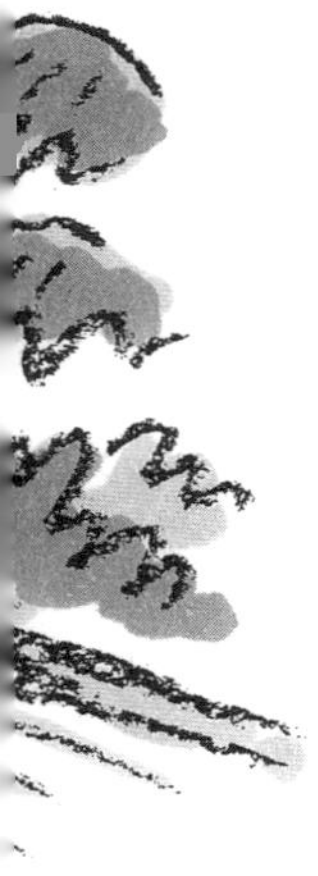

「とりかえばばは、まだ、あたしたちのおびれや髪《かみ》の毛《け》を、とってあるかしら。早《はや》くとりかえさなくちゃ。」

メロメロは、さっそく飛《と》んでいこうとします。

「まあまあ、せっかくだから、あたしの作《つく》ったゼリーでも、食《た》べていきなさいよ。とっても、おいしいんだから。」

レロレロがゼリーを出《だ》してあげると、メロメロの目《め》が、かがやきました。

「ほんと、おいしそう！　じつをいうと、あたし、おなかがぺこぺこなの。」

二人《ふたり》がソファにすわって、プルプルゼリーを食《た》べはじめたときでした。

ドッブォーン！

またもや大《おお》きな水《みず》音《おと》がして、飛《と》びこんできたのは大《おお》きなおなべ。

ゴボ、ゴボ、ゴボとしずんできて、グァッチャーンと、かがみにぶつかりました。レロレロのすてきなかがみが、こなごなです。

「あーあーあー！　また、やっちゃった。この大《おお》なべのやつが、がんこ者《もの》で、ちっとも言《い》うことをきかないからさ。」
おなべの下《した》からはいずりでてきたのは、魔女《まじょ》のオバタン。首《くび》をすくめて、いいわけをしました。
「ごめんよ。かがみは、あとでべんしょうするからさ。あたしゃ、ちょっと急《いそ》いでるんだ。ある人《ひと》にたのまれて、明《あ》け方《がた》までに、べたべたガムを作《つく》らなくちゃならないのさ。」

「べたべたガムって、あの、とりもち
みたいにくっつくガム？」
レロレロに聞《き》かれたオバタン、
とくい顔《がお》で答《こた》えます。
「そうそう。だれかをつかまえたい
ときには、それさえあれば、
バッチリさ。そいつが今《いま》までいた
ところに、ちょっとぬっておく
だけで、ひきよせられるように
そこへもどってきて、べたべた、
くっついてしまうのさ。」

「んまあ！　べんりなガム。」
聞《き》いていたメロメロが、さけびました。
「それには、満月《まんげつ》の光《ひかり》で変身《へんしん》した
おおかみ男《おとこ》のひげがいるんでね。
うまい具合《ぐあい》に、ぬるぬる池《いけ》のほとりで
おおかみ男《おとこ》がのびていたから、
それっ！　てんで急降下《きゅうこうか》したら、
このありさまさ。
そんじゃ、大《おお》なべ、行《い》くよ。」
オバタンが大《おお》なべを、うんこらしょっと
持《も》ちあげて、池《いけ》の外《そと》へ出《で》ていこうとしたときです。

「待《ま》って!」

メロメロが、ぎゅっと、大《おお》なべの取《と》っ手《て》をつかんで言《い》いました。

「おねがい、オバタン！　そのべたべたガム、できたら、あたしにも、ほんのちょっとでいいから、わけてちょうだい。」

「いったい、どうしてなの。メロメロ」

レロレロが、びっくりして言《い》いました。

「あたし、ころっと気《き》が変《か》わったわ。もしも、そんなガムがあったら、こんどこそ、風船男《ふうせんおとこ》をつかまえられるかもしれないもの。おねがい、お姉《ねえ》ちゃんからも、オバタンにたのんでちょうだい。」

「えーっ！」

レロレロは、「それじゃ、あたしの髪《かみ》の毛《け》はどうなるの？」と、のどまで出《で》かかった言葉《ことば》をのみこんで、

(そりゃ、べつにあたし、髪《かみ》の毛《け》がなくたって、色《いろ》とりどりのかつらを楽《たの》しめるから、かまわないのよ。それより、せっかく水《みず》の中《なか》にもどってくれると思《おも》ったのに、またふわふわした風船男《ふうせんおとこ》を追《お》っかけていってしまうの、メロメロ?)

と、心《こころ》の中《なか》でつぶやきました。

でも、メロメロがいったん、こうと決《き》めたら、だれにも止《と》められないのを、レロレロはようく知《し》っているのです。

「わかったわ。魔女《まじょ》のオバタン、あたしのかがみは、べんしょうしなくてもいいから、メロメロにもほんのちょっと、そのべたべたガムをわけてやってちょうだいな。」

レロレロは、言《い》いました。

「そ、そりゃ、まあ、レロレロさんにたのまれたら、たとえ、かがみのことがなくたって、いやとは言《い》えないさ。ようし。いいだろ。」

「きゃっほう！　やったぜ。じゃあ、あたしたちもいっしょに行《い》って、おてつだいするわ。ねえ、お姉《ねえ》ちゃん。」

メロメロは、がぜん、はりきりだしました。

「ようし。それじゃまずは、池《いけ》のほとりでのびている、おおかみ男《おとこ》のひげを三本《ぼん》、ひっこぬくんだ。」

ところが、池《いけ》の外《そと》に出《で》てみても、おおかみ男《おとこ》は、どこにもいないではありませんか。

「息《いき》をふきかえして、どこかへ行《い》っちゃったんだ！」

「さがしにいかなくちゃ！　さあ、この大《おお》なべにのって！」

レロレロとメロメロが、急《いそ》いで大《おお》なべにのりこんだとき、オバタンがさけびました。

「あんなところにいた！」

見《み》れば、一ぴきのおおかみが、ちくちく森《もり》の方《ほう》へかけこんでいくところです。

「あれだわ！」
「にがしてなるものか。」
オバタンは、
「ブックサ　ブックサ
グチグチ　ネチネチ……。」
とじゅもんをとなえ、大《おお》なべは、
やっこらしょっと、うかび
あがりました。

「急《いそ》げ！　急《いそ》げ！」
オバタンは、大《おお》なべのおしりに、ピシピシとむちをいれます。

大《おお》なべは、ブーンとひとっとび。

まさに、おおかみの頭《あたま》の上《うえ》に、ゴーン！　と落《お》っこちました。

「ギャン！」

おおかみは、ひと声《こえ》さけんで、のびてしまいました。

仮免中

「ごめんよ。」

「それ、今《いま》のうち。」

三人《にん》は大《おお》なべから飛《と》びおりて、おおかみのひげを、ブチ、ブチ、ブチッとひっこぬきました。

もしもそのとき、三人《にん》が、ちょっとふりむいてみれば、どっきり広場《ひろば》のブティック「びっくり箱《ばこ》」のかんばんの上《うえ》によじのぼっている、ほんもののおおかみ男《おとこ》のすがたが見《み》えたはずなのですが、ね。

そう、そこにのびているのは、ただのおおかみだったのです。
そんなこととは知《し》らない魔女《まじょ》のオバタン、大《おお》よろこびで、
「ようし、これでおおかみ男《おとこ》のひげ三本《ぼん》、手《て》に入《はい》ったぞ。次《つぎ》は、ひそひそ川《がわ》へ行《い》って、満月《まんげつ》の光《ひかり》のかけらをすくいとるんだ。」
とさけびました。

オバタンが、じゅもんをとなえると、大《おお》なべはまた、うんとこせと飛《と》びあがり、ブイーンと向《む》きを変《か》えて、ひそひそ川《がわ》をめざします。

ありがたいもの
あります

川《かわ》の向《む》こうに、ミイラのラムさんがやっている、こっとう屋《や》さんが見《み》えてきました。

ラムさんとおくさんのマミさんが、月明《つきあ》かりの下《した》にテーブルを出《だ》して、ミッドナイト・ティーを楽《たの》しんでいます。

「このホルマリン・ティーは、なかなかいけるね。」

「ええ、今夜《こんや》のナフタリン・クッキーもおいしいわ。」

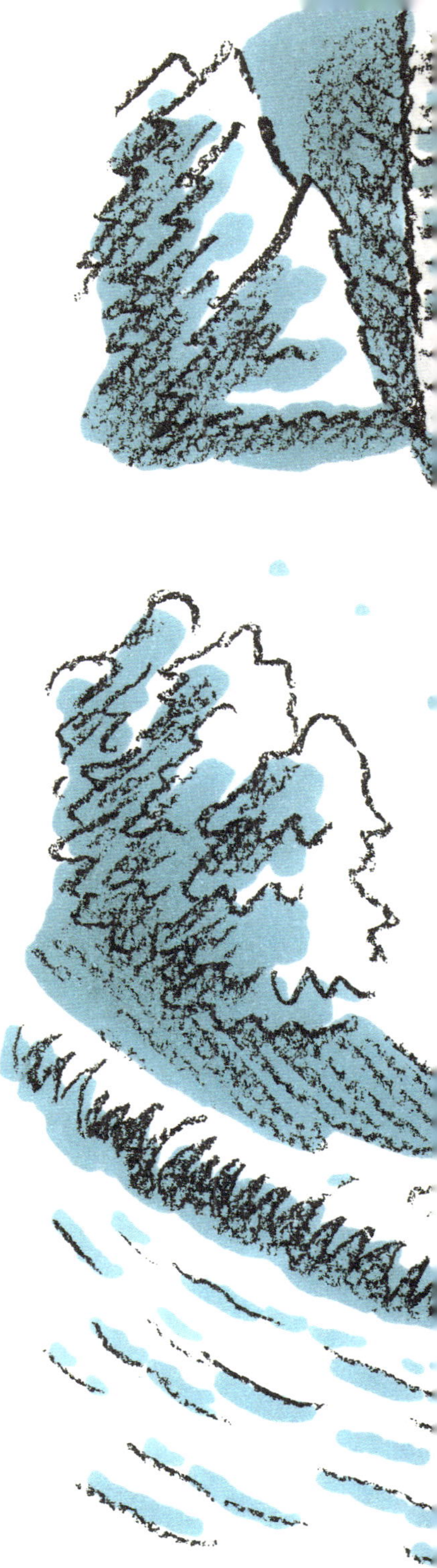

と、そこへ、大《おお》なべが、ブイーンと飛《と》んでくるのが見《み》えました。
「あら、魔女《まじょ》のオバタンの大《おお》なべよ。」
「気《き》をつけろ。どこに落《お》っこちてくるか、わからないぞ。」
ラムさんとマミさんが、ホルマリン・ティーの入《はい》ったカップをおさえたとたん、大《おお》なべは、ドーンと、すぐそばに落《お》っこちました。地《じ》ひびきでテーブルは飛《と》びあがり、ラムさんもマミさんも、カップを持《も》ったま ま、ひっくりかえりました。

もちろん、ナフタリン・クッキーは、全部《ぜんぶ》、飛《と》びちりました。

「まいど、ごめんよ。」

「んもう！　ひどいじゃないの。クッキーはまだ、十三こものこってたのよ。全部《ぜんぶ》、さがしだしてちょうだい！」

マミさんが、金切《かなき》り声《ごえ》でさけんでいますが、かつらをどこかに飛《と》ばしてしまったレロレロは、それどころじゃありません。

「ぐずぐずしちゃいられないよ。あたしゃ、ひそひそ川《がわ》にうつった満月《まんげつ》のかけらを、すくいとらなくちゃいけないんだ。」

オバタンもそう言《い》って、ひそひそ川《がわ》に、ジャブジャブ入《はい》っていきました。

しかたなく、メロメロがはいつくばって、クッキーさがしです。

オバタンは、みごと、ヘルメットに月《つき》のかけらをすくいとり、
「さあ、早《はや》く帰《かえ》って、べたべたガムを作《つく》らなきゃ。のった、のった！
大《おお》なべが出《で》るよ！」
とさけびました。

ようやく、かつらをさがしだしたレロレロと、
クッキーを拾《ひろ》いあつめたメロメロが飛《と》びのると、
大《おお》なべは、どっこいしょと
飛《と》びあがりました。
「まだ、あと一こ
たりないわよう！」
マミさんがさけんで
いるのをふりきって、
ぐずぐず谷《だに》めざして、
飛《と》んでいきます。

どうやら、大《おお》なべはぐずぐず谷《だに》についらく、じゃなかった、到着《とうちゃく》し、オバタンは、さっそく、べたべたガム作《づく》りにとりかかります。
「さあ、おまえたち。ひさしぶりに、あたしのうでのふるいどころだよ。用意《ようい》はいいね。」
魔女《まじょ》のオバタンが、うでまくりをして言《い》えば、

「はい!」

「ほい!」

「へい!」

「ふぇい!」

オバタンの四ひきの使《つか》い魔《ま》の、
ねこのアカトラ、
とかげのペロリ、
こうもりのバッサリ、
ひきがえるのイボイボは、
エプロンかけて、整列《せいれつ》!

「さあて、と。まずは、べろべろの実《み》の乾燥《かんそう》べろに、おばけかぼちゃの種《たね》。ちくちく森《もり》のいちばん高《たか》い木《き》の葉《は》っぱに、もじゃもじゃの草《くさ》の根《ね》。古《ふる》タイヤ一こに、消《け》しゴム七つ。」

オバタンが名前《なまえ》を言《い》うたびに、四ひきの使《つか》い魔《ま》たちは、たなにならんだびんの中《なか》から、ラベルをさがして持《も》ってきます。

もじゃもじゃ草の根

「んまあ！　なんて、おりこうさん。」

「このぶんじゃ、すぐに、べたべたガムもできそうね。」

レロレロとメロメロも、感心《かんしん》するばかり。

「まだまだ、まだまだ。ブツクサ、ブツクサ。」

オバタンは、びんの中《なか》のものをおなべに入《い》れて、かきまぜながらじゅもんをとなえます。

次《つぎ》に、はちみつとワインを入《い》れて、火《ひ》にかけました。

「さあて、それから、こうもりの血《ち》が三てき。」

言《い》いながらオバタンは、バッサリをこわきにかかえ、つばさにはってあったばんそうこうを、いきなり、べリッとひっぺがしました。

「ギャッ！」

バッサリのつばさからは、たらたら、たらと、血《ち》が三てき、おなべの中《なか》にたれました。

「ようし、次《つぎ》は、
とかげのしっぽ。」
にげだそうとする
ペロリをつかまえ、
オバタンは、ぐいと
しっぽをひっぱりました。
「ヒエー！」
せっかくはえかわった
ペロリのしっぽは、またもや、
ちぎれてしまいました。

オバタンは、それも
おなべにほうりこみ、
「よし。次《つぎ》は、ねこの……」。
と、アカトラの方《ほう》を
見《み》ました。
アカトラは、ゴクリと、
つばを飲《の》みこみます。

「おへそのごみ。」
アカトラは、ほっとして、
おへそのごみを入《い》れました。

「よし。次《つぎ》は、かえるの……。」
オバタンにギロリと
にらまれて、イボイボは、
あぶらあせが、タラーリ。

「あぶらあせ三てき。」
イボイボはよろこんで、
タラーリ、タラーリ、
タラーリと、おなべの中《なか》に、
あぶらあせをたらしました。

「そして、あたしの
つめのあか、と。」
オバタンは自分《じぶん》の
つめのあかを入《い》れ、
ぐつぐつ、ぐつぐつ、
にたてます。

「次《つぎ》は、おおかみ男《おとこ》の
ひげ、三本《ぼん》。」
レロレロが、ただの
おおかみのひげを三本《ぼん》、
おなべの中《なか》に入《い》れまし
た。

「そして、最後《さいご》に、月《つき》のかけら！」

オバタンが大声《おおごえ》で言《い》うと、メロメロがヘルメットの中身《なかみ》を、ザブンと、おなべの中《なか》にぶちまけました。

「あら？　今《いま》の、ナフタリン・クッキーみたいだったけど……。」

メロメロが言《い》ったときには、もう、ナフタリン・クッキーは、ぐつぐつにえているおなべの中《なか》で、とけてしまったあとでした。

「そんなことは、ない！　あたしゃ、たしかに月《つき》のかけらをすくいとった。」

オバタンは、きっぱり言《い》ったあと、

「……と思《おも》うことにしよう。」

と、自分《じぶん》だけに聞《き》こえる声《こえ》で言《い》いました。

まだまだ　まだまだ
グチグチ　ネチネチ
まだまだ　まだまだ
イジイジ　グズグズ
まだまだ　まだまだ
ガーガー　ギャーギャー
まだまだ　まだまだ
ブーブー　ブータラ

オバタンはじゅもんをとなえながら、とろーりとろりと、につめます。
そのころには、ぐずぐず谷《だに》の向《む》こうの空《そら》は、しらじら明《あか》るくなってきていました。
そして最後《さいご》に、オバタンが、

まだまだ　まだまだ
ガミガミ　ドカン！

と言《い》ったときには、おなべの底《そこ》には、ハート型《がた》にかたまった、黒《くろ》いあめ玉《だま》のようなものが、こびりついていました。

「できたぞ！　かんぺき、オバタン特製《とくせい》の、べたべたガム。」

「わあい、やった！　これさえあれば、もう風船男《ふうせんおとこ》はつかまえたも同《おな》じよ。」

メロメロは、四ひきの使《つか》い魔《ま》たちと、手《て》をとっておどっています。

「ところで、べたべたガムをオバタンに注文《ちゅうもん》した人《ひと》は、だれなの？」

レロレロに聞《き》かれたオバタンは、

「さあねえ、注文《ちゅうもん》は、ゆうべ、まどからまいこんできたんだよ。」

と、風船《ふうせん》を一こ、持《も》ってきました。糸《いと》の先《さき》に手紙《てがみ》がついています。

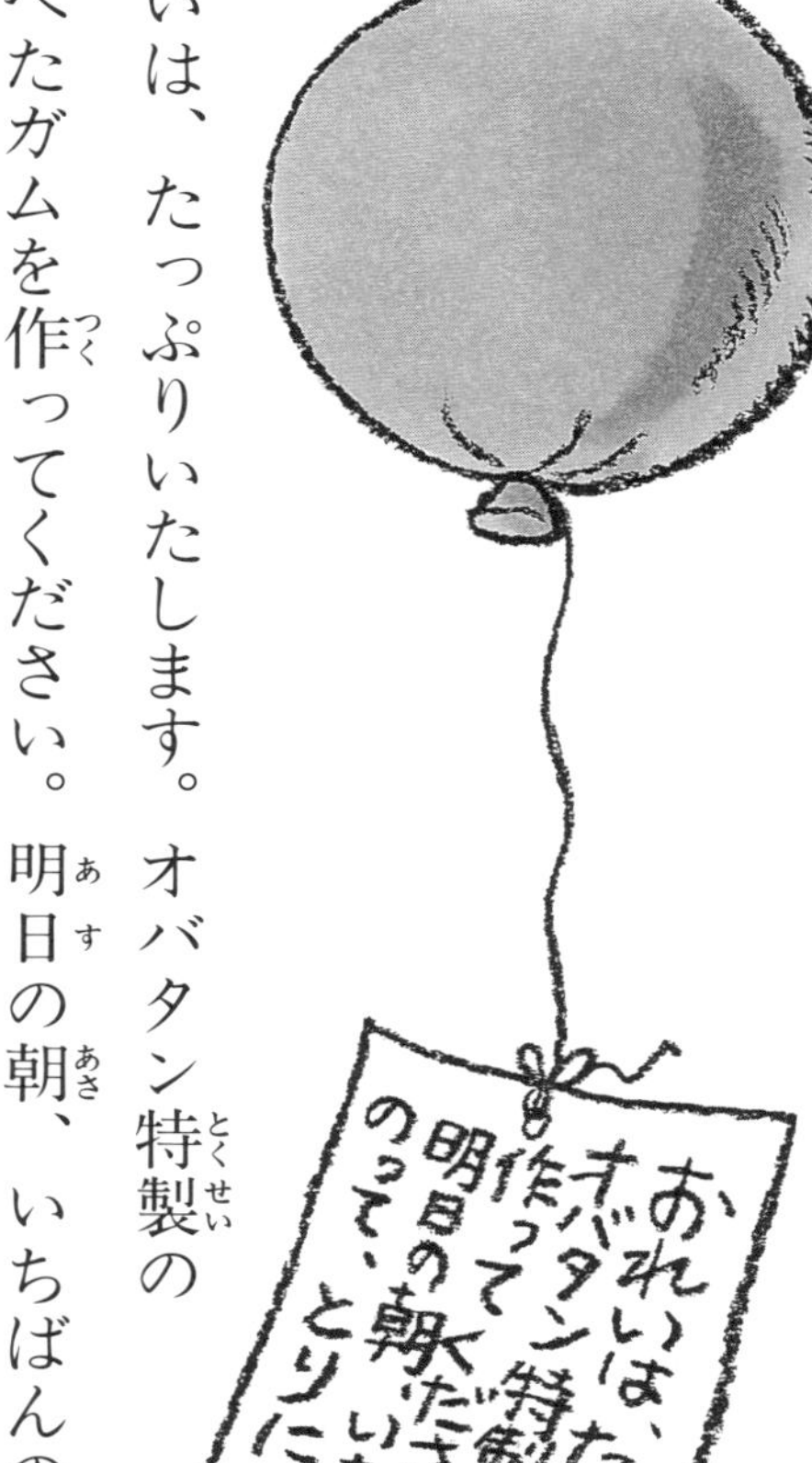

「おれいは、たっぷりいたします。オバタン特製《とくせい》のべたべたガムを作《つく》ってください。明日《あす》の朝《あさ》、いちばんの風《かぜ》にのって、とりにいきます。」

手紙《てがみ》には、そう書《か》いてあるだけです。

「まあ、じき夜明《よあ》けだ。すぐにだれだかわかるさ。」

オバタンが言《い》ったとき、まどの外《そと》をヒューッ、ガタガタガタッと風《かぜ》が通《とお》りすぎました。

オベタンのうち

トントン、トン！

ドアがノックされました。

「もしかして！　まさか！」

そうさけんで、ドアに突進《とっしん》したのは、メロメロです。

あっけにとられて、顔《かお》を見《み》あわせているオバタンとレロレロの耳《みみ》に、こんな声《こえ》が飛《と》びこんできました。

「やっぱり、風船男《ふうせんおとこ》！」

「きみは、風船女《ふうせんおんな》じゃないか！　こんなところで会《あ》えるとは！　きみをつかまえるために、べたべたガムを注文《ちゅうもん》したんだよ。」

「そうだったの！　じゃあ、あたしたち、おたがいに思《おも》いちがいの、すれちがい生活《せいかつ》だったのね。」

そして、二人《ふたり》は、べたべたガムのこともわすれて、ちょうどやってきた突風《とっぷう》にのって、また、どこかへ飛《と》んでいってしまったのです。
ええ、こんどは、しっかり手《て》と手《て》をつないだまま。

「このべたべたガム、あたしがもらっていいかしら。好《す》きなときにメロメロにもどってきてほしいから。」

レロレロは、魔女《まじょ》のオバタンから、べたべたガムをもらって帰《かえ》りましたが、さて、このガム、きき目《め》があるでしょうか。

わたしたち
ベタベタに
なかよく
くらしています
メロメロ

☆ブティック「びっくり箱《ばこ》」に尾《お》びれ付《つ》きレオタード各種入荷《かくしゅにゅうか》！（とうめい人間《にんげん》サムガリー）

ぞくぞく村《むら》だより ７号《ごう》

レロレロ監修《かんしゅう》
妖精特集《ようせいとくしゅう》

◆発行所《はっこうじょ》◆
ぞくぞく村《むら》広報室《こうほうしつ》

☆ぬるぬる池《いけ》へのゴミのポイ捨《す》てをやめよう！

質問《しつもん》コーナー

Q. レロレロさんは、どうやって歩《ある》くのですか？

A. 短《みじか》いきょりなら、尾《お》びれで、ちょこちょこと歩《ある》きます。ぴょんぴょん、とんだりすることもあります。ぬるぬる池《いけ》とひそひそ川《がわ》は、地下水《ちかすい》道《どう》でつながっていますから、意外《いがい》と遠《とお》くまで行《い》けるのですよ。

！ご注意《ちゅうい》！

オバタンの大《おお》なべが落《お》ちてきて、頭《あたま》にけがをして以来《いらい》、自分《じぶん》は「おおかみに変身《へんしん》したおおかみ男《おとこ》」だと思《おも》っているただのおおかみが、満月《まんげつ》の夜《よる》になると出没《しゅつぼつ》するので、ご注意《ちゅうい》！

☆本物《ほんもの》のおおかみ男《おとこ》との見分《みわ》け方《かた》☆

① すぐブティック「びっくり箱《ばこ》」のかんばんに、よじのぼりたがるのが、本物《ほんもの》。

② 目《め》の前《まえ》でアーンと口《くち》を開《あ》けてみせると……。

◎ 本物《ほんもの》のおおかみ男《おとこ》は、もともと歯《は》医《い》者《しゃ》なので、つい虫《むし》歯《ば》を調《しら》べてしまう。

× ただのおおかみは、もっと口《くち》を大《おお》きく開《あ》けようとする。

★おたよりください◆あてさき◆東京都千代田区西神田三ー二ー一 あかね書房「ぞくぞく村」係

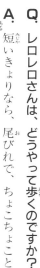

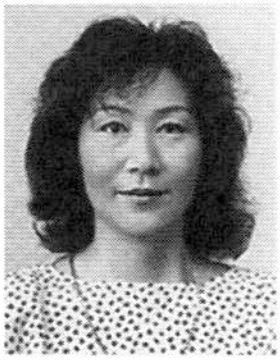

作者　**末吉暁子**（すえよし　あきこ）
神奈川県生まれ。児童図書の編集者を経て、創作活動に入る。『星に帰った少女』（偕成社）で日本児童文学者協会新人賞、日本児童文芸家協会新人賞受賞。『ママの黄色い子象』（講談社）で野間児童文芸賞、『雨ふり花さいた』（偕成社）で小学館児童出版文化賞、『赤い髪のミウ』（講談社）で産経児童出版文化賞フジテレビ賞受賞。長編ファンタジーに『波のそこにも』（偕成社）が、シリーズ作品に「きょうりゅうほねほねくん」「くいしんぼうチップ」（共にあかね書房）など多数がある。垂石さんとの絵本に『とうさんねこのたんじょうび』（ＢＬ出版）がある。2016年没。

画家　**垂石眞子**（たるいし　まこ）
神奈川県生まれ。多摩美術大学卒業。絵本に『ライオンとぼく』（偕成社）、『おかあさんのおべんとう』（童心社）、『もりのふゆじたく』『きのみのケーキ』『あたたかいおくりもの』『あいうえおおきなだいふくだ』『あついあつい』（以上福音館書店）、『メガネをかけたら』（小学館）、『わすれたって、いいんだよ』（光村教育図書）、『けんぽうのえほん　あなたこそたからもの』（大月書店）などがある。挿絵の作品に『かわいいこねこをもらってください』（ポプラ社）など多数。日本児童出版美術家連盟会員。
垂石眞子ホームページ
http://www.taruishi-mako.com/

ぞくぞく村のおばけシリーズ⑦　**ぞくぞく村の妖精レロレロ**

発　行＊1995年6月初版発行　2024年12月第46刷　NDC913　79p　22cm
作　者＊**末吉暁子**　画　家＊**垂石眞子**
発行者＊岡本光晴
発行所＊**あかね書房**　〒101-0065　東京都千代田区西神田3-2-1／TEL.03-3263-0641（代）
印刷所＊錦明印刷㈱　写植所＊㈲千代田写植　製本所＊㈱難波製本

ISBN978-4-251-03677-3

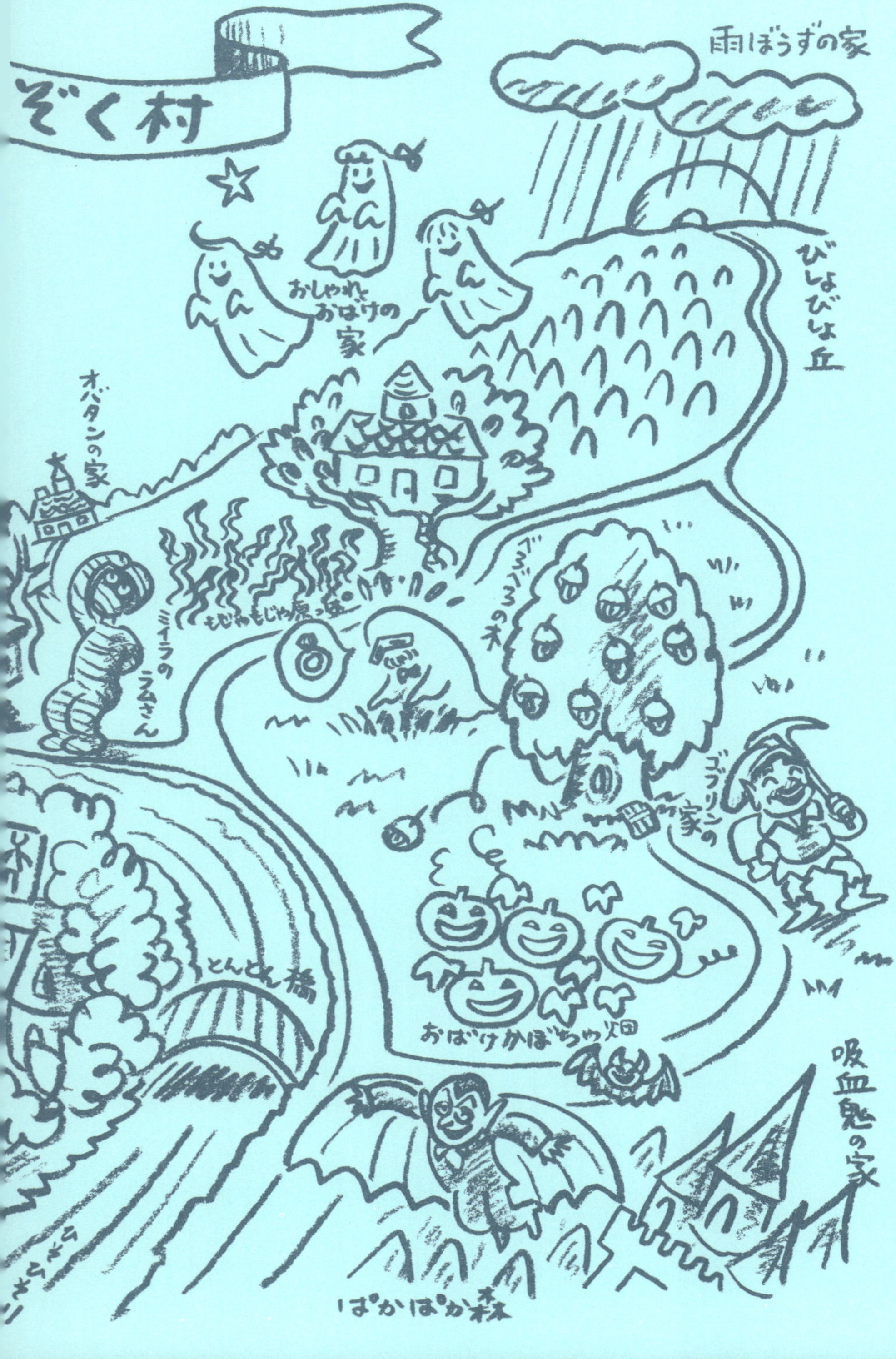

ぞく村
雨ぼうずの家
おしゃれおばけの家
びよびよ丘
オバタンの家
ミイラのラムさん
もじゃもじゃ原っぱ
ゴツゴツの木
ゴブリンの家
おばけかぼちゃ畑
とんとん橋
吸血鬼の家
ぱかぱか森
ひさひさ川